深化合作伙伴关系 共建亚洲美好家园

——在新加坡国立大学的演讲

（2015年11月7日）

习 近 平

人 民 出 版 社

深化合作伙伴关系 共建亚洲美好家园

——在新加坡国立大学的演讲

（2015 年 11 月 7 日）

习　近　平

尊敬的李显龙总理，

尊敬的张志贤副总理，

尊敬的陈祝全校长，

尊敬的王庚武所长，

老师们，同学们，女士们，先生们：

大家好！很高兴来到新加坡国立大学，并利用“新加坡讲座”这个平台，同各位同学和各界朋友见面。今年是中新建交 25 周年，我很荣幸应陈庆炎总统邀请，对有着“花园国家”美誉的新加坡进行国事访问。

新加坡国立大学拥有110年悠久历史，是亚洲乃至世界知名高校。李光耀先生、陈庆炎总统、纳丹先生、吴作栋先生等新加坡领导人都是国大校友。可以说，这里桃李芬芳、人才辈出。贵校倡导“人才不设墙”、“观念不设墙”、“思维不设墙”、“知识不设墙”的“无墙文化”，体现了新加坡创新进取和开放包容精神。这是贵校乃至贵国成功的一个重要原因。

今年是新加坡建国50周年。半个世纪以来，新加坡人民筚路蓝缕、发愤图强，凭借勤劳智慧把新加坡建设成了亚洲最发达的国家之一，成为世界上重要的经济金融中心、航运中心、炼化中心，国家发展取得了举世瞩目的成就。新加坡取得的成就生动诠释了“靠人粮满仓，靠天空米缸”的道理。我们对新加坡人民的成功表示衷心祝贺。

老师们、同学们、女士们、先生们！

中国和新加坡是一衣带水的友好邻邦，友好交往源远流长。15世纪初，中国著名航海家郑和扬帆远航，多次到访新加坡。新加坡海事博物馆里有一艘按原尺寸复制的郑和宝船，以纪念这一伟大事件。明末清初，许多来自中国广东、福建的民众漂洋过海到南洋谋生，带来了中华文化和技术，也播下了中新友好的种子。

1978 年，邓小平先生访问新加坡，拉开了新时期中新友好合作的序幕。当时的中国正在开拓改革开放和社会主义现代化建设的新路，积极探索中国特色社会主义道路。在李光耀先生带领下，新加坡兼具东方价值观和国际视野，走出了一条符合新加坡国情的发展道路。在目睹新加坡创造的经济成就后，邓小平先生表示，中国要向新加坡学习。新加坡的实践为中国破解改革发展中的一些难题提供了宝贵借鉴，中国发展也为新加坡带来了巨大发展机遇。

现在，中新两国政治互信不断加深，务实合作深入拓展。苏州工业园区、天津生态城两个政府间合作项目成功推进，以现代互联互通和现代服务经济为主题的第三个政府间合作项目即将在中国重庆落户。中国是新加坡最大贸易伙伴，新加坡是中国最大投资来源国和重要投资目的地。两国金融合作方兴未艾，新加坡已经成为重要的人民币离岸交易中心之一。双方在科技环保、教育人文、社会治理等领域合作成果丰硕。中新关系 25 年来的发展，紧密契合两国发展战略，契合中国发展方向和新加坡独特优势，走出了一条与时俱进的合作之路。

在中新建交25周年之际，我们一致同意将中国和新加坡关系定位确定为与时俱进的全方位合作伙伴关系。我相信，在中新两国人民共同努力下，中新关系必将迎来新的更大的发展。

老师们、同学们、女士们、先生们！

中国和东南亚山水相连，血脉相通，有文字可考的交往史长达2000多年。中华文明和东南亚文明千年互鉴共生。中国自古讲求和而不同、敦亲睦邻，同东南亚文化深度契合。中华文化追求的仁爱尚德、谦恭自省、敏而好学、止于至善，《三国演义》、《水浒传》等中国文学作品中人物具备的忠义品质，也是东南亚人民所推崇的。东南亚的饮食、音乐、建筑、绘画等也影响了中国民俗。

近代以来，中国和东南亚国家在国家独立和民族解放的进程中彼此激励、相互支持，在经济社会发展的历程中相互启迪、通力合作，在应对亚洲金融危机、国际金融危机和抗击印度洋海啸、中国汶川特大地震中守望相助、和衷共济。时至今日，中国正同东南亚国家一道，书写着自身发展的历史新篇章。

上世纪60年代起，东南亚国家创建东盟，走上了联合自强之路，并在近半个世纪中风雨兼程，实现了从动荡贫弱到稳定发展的跨越,成为地区和国际舞台上维护和平、促进发展、深化合作的一支重要力量。东盟在自身发展和对外交往中,形成了独具特色的“东盟方式”,强调相互尊重、协商一致、照顾各方舒适度,为地区国家发展关系、深化合作、推进一体化提供了有益借鉴。今年年底,东盟即将建成共同体,这是亚洲地区第一个次区域共同体。中国将坚定发展同东盟的友好合作,坚定支持东盟发展壮大,坚定支持东盟共同体建设,坚定支持东盟在东亚区域合作中发挥主导作用。

老师们、同学们、女士们、先生们!

中国始终将周边置于外交全局的首要位置,视促进周边和平、稳定、发展为己任。中国推动全球治理体系朝着更加公正合理方向发展,推动国际关系民主化,推动建立以合作共赢为核心的新型国际关系,推动建设人类命运共同体,都是从周边先行起步。

中国坚持与邻为善、以邻为伴,坚持奉行睦邻、安邻、富邻的周边外交政策,坚持践行亲诚惠容的周边外交理念,坚持共同、综合、合作、可持续的亚洲安全观,致力于构建更为紧密的中国—东盟命运共同体,推动建设亚洲命运共同体。

和平发展思想是中华文化的内在基因,讲信修睦、协和万邦是中国周边外交的基本内涵。近代以来，外敌入侵、内部战乱曾给中国人民带来巨大灾难。中国人民深知和平的宝贵，绝不会放弃维护和平的决心和愿望，绝不会把自身曾经遭遇的苦难强加于他人。中国繁荣昌盛是趋势所在，但国强必霸不是历史定律。中国自古倡导“强不执弱，富不侮贫”，深知“国虽大，好战必亡”的道理。一些人渲染“中国威胁论”，这或者是对中国历史文化和现实政策不了解，或者是出于一种误解和偏见，或者是有着某种不可告人的目的。中国坚持走和平发展道路，坚持独立自主的和平外交政策，不是权宜之计，而是我们的战略选择和郑重承诺。

近代以来，中国经历了长达一个多世纪的积贫积弱、风雨飘摇的年代，我们比谁都懂得发展的重要、稳定的可贵。中国的发展进程得到周边国家帮助和支持，中国发展成果也为周边国家所分享。中国愿意把自身发展同周边国家发展更紧密地结合起来，欢迎周边国家搭乘中国发展“快车”、“便车”，让中国发展成果更多惠及周边，让大家一起过上好日子。

两年前，我在访问中亚和东南亚时，提出建设“一带一路”的设想。这是发展的倡议、合作的倡议、开放的倡议,强调的是共商、共建、共享的平等互利方式。目前,这个倡议已经形成势头。中国发布了愿景与行动的纲领性文件,60多个国家和国际组织表达积极参与的态度,中国同很多国家达成了合作协议,亚洲基础设施投资银行协定已经签署,丝路基金已经着手实施具体项目,一批多边或双边大项目合作正稳步推进。"一带一路"倡议的首要合作伙伴是周边国家,首要受益对象也是周边国家。我们欢迎周边国家参与到合作中来,共同推进"一带一路"建设,携手实现和平、发展、合作的愿景。

老师们、同学们、女士们、先生们!

时代潮流,浩浩荡荡。当前,中国同周边国家关系站在了新的历史起点上。亚洲是世界经济发展高地,宏观经济基本面稳定向好,同时受内外因素影响,承受了较大下行压力。亚洲政通人和、社会稳定,是全球格局中的稳定板块,同时安全问题十分复杂,恐怖主义、极端主义、跨国犯罪、网络安全、重大自然灾害等非传统安全挑战增多。亚洲绝大多数国家的政策取向是通过协商谈判处理矛盾分歧,同时一些国家互信不足、时有纷争。亚洲国家相互依存日益加深,地区一体化进程不断加速,同时区域合作路径不一,安全合作长期滞后于经济合作。这些问题都需要我们共同应对和破解。

我一直在思考新形势下中国同包括东南亚在内的周边国家深化合作、共谋发展的大计，愿在此提出一些想法和主张。

——**共同维护和平安宁**。维护亚洲和平是中国同周边国家的历史责任和共同担当。亚洲各国人民要永不为敌、增进互信，共同守护亚洲和平安宁，为亚洲各国发展和人民安居乐业创造良好条件。

——**深入对接发展战略**。亚洲各国人民要聚精会神推动发展、改善民生，互帮互助，从各自发展战略中发掘新的合作动力，规划新的合作愿景，锁定新的合作成果，做大互利合作的“蛋糕”，为彼此经济增长提供更多动能。

——**积极开展安全合作**。“单丝不线，孤掌难鸣。”亚洲各国人民要践行亚洲安全观，协调推进地区安全治理，共同担当和应对传统和非传统安全问题，坚持以和平方式通过友好协商解决矛盾分歧，坚持发展和安全并重，共谋互尊互信、聚同化异、开放包容、合作共赢的邻国相处之道。

——**不断巩固人缘相亲**。亚洲各国人民要从悠久的历史文明中汲取养分，凝聚对亚洲价值的集体认同，拓展人文交流合作，夯实睦邻友好的社会民意基础，把“和”、“合”的传统理念付诸彼此相处之道，把修睦合作的薪火世代传承下去。

一段时间以来，大家都关心中国在南海问题上的政策。我要说的是，南海诸岛自古以来就是中国领土，维护自身的领土主权和正当合理的海洋权益，是中国政府必须承担的责任。中国南海政策的出发点和落脚点都是维护南海地区和平稳定。在中国和南海沿岸国共同努力下，南海局势总体是和平的，航行和飞越自由从来没有问题，将来也不会有问题，因为首先中国最需要南海航行通畅。尽管中国拥有主权的一些南海岛礁被他人侵占，但我们始终主张通过和平谈判方式解决问题。中国将坚持同直接当事国在尊重历史事实的基础上，根据国际法，通过谈判和协商解决有关争议，我们完全有能力，也有信心同东盟国家一道，维护好南海地区的和平稳定。我们欢迎域外国家参与亚洲和平与发展事业，为此发挥积极作用。当前，亚洲各国政府面临的最重要课题是如何实现持续快速发展，这需要一个和平稳定的环境。这是地区国家的最大公约数，域外国家也应该理解和尊重这一点并发挥建设性作用。

老师们、同学们、女士们、先生们！

大家关心中国的发展走向。中共十八届五中全会刚刚闭幕，会议审议通过了关于制定国民经济和社会发展第十三个五年规划的建议，描绘了中国未来5年发展蓝图。按照我们的规划，到2020年，中国将全面建成小康社会，国内生产总值和城乡居民人均收入比2010年翻一番，实现我们确定的“两个一百年”奋斗目标的第一个百年奋斗目标。

——为了实现这个目标，我们将坚持全面建成小康社会、全面深化改革、全面依法治国、全面从严治党的战略布局，坚持发展是第一要务，以提高发展质量和效益为中心，加快形成引领经济发展新常态的体制机制和发展方式，保持战略定力，坚持稳中求进，统筹推进经济建设、政治建设、文化建设、社会建设、生态文明建设和党的建设。

——为了实现这个目标，我们将牢固树立创新、协调、绿色、开放、共享的发展理念。坚持创新发展，就是要把创新摆在国家发展全局的核心位置，让创新贯穿国家一切工作，让创新在全社会蔚然成风。坚持协调发展，就是要重点促进城乡区域协调发展，促进经济社会协调发展，促进新型工业化、信息化、城镇化、农业现代化同步发展，在增强国家硬实力的同时注重提升国家软实力，不断增强发展整体性。坚持绿色发展，就是要坚持节约资源和保护环境的基本国策，坚持可持续发展，形成人与自然和谐发展现代化建设新格局，为全球生态安全作出新贡献。坚持开放发展，就是要奉行互利共赢的开放战略，发展更高层次的开放型经济，积极参与全球经济治理和公共产品供给，构建广泛的利益共同体。坚持共享发展，就是要坚持发展为了人民、发展依靠人民、发展成果由人民共享，使全体人民在共建共享发展中有更多获得感，朝着共同富裕方向稳步前进。

——为了实现这个目标，中国要加强同世界各国特别是周边邻国的合作。同样，中国发展也将为世界特别是周边国家带来更多发展机遇。我们愿意也期待同各国分享发展机遇，共创亚洲美好未来。

老师们、同学们、女士们、先生们！

岁月如梭，光阴荏苒。回顾中新关系发展历程，我们倍加怀念缔造中新关系的两位伟人，邓小平先生、李光耀先生。5 年前我访问新加坡时，同李光耀先生一起在新加坡河畔为邓小平先生纪念碑揭幕。如今斯人已逝，他们的丰功伟绩永远值得我们缅怀。

青年代表着希望、代表着未来。令人欣慰的是，中新老一辈领导人精心培育的中新友好合作之树如今已经枝繁叶茂、硕果累累。中新友好合作事业需要青年一代传承发扬，两国友谊的接力棒需要两国年轻一代接过来、跑下去。今年 7 月，几名新加坡“90 后”大学生参加了 2015“看中国 · 外国青年影像计划”，他们来到中国西北，用镜头记录现代中国，通过秦腔、兰州牛肉面、羊皮筏子等元素了解和传递中华文化。从中国来到新加坡国立大学深造的两名大学生则用一年时间拍摄了 50 个新加坡当地人物的梦想故事。相信在座的同学们身边还有很多这样的事例。

希望中新两国青年发扬“不患人之不己知，患不知人也”的精神，加深对彼此国家历史文化的了解，加深对彼此人生追求的了解，互学互鉴，增进友谊，共当中新友谊的忠实继承者、积极参与者、热心奉献者，成为中新关系发展的生力军。

老师们、同学们、女士们、先生们！

展望未来，亚洲再次站到了引领历史发展的前列。我们生于斯、长于斯，前途命运维系于斯。中国愿同新加坡一道，愿同周边国家一道，愿同世界各国一道，携手开创全方位合作新局面，共建亚洲美好家园。

谢谢各位。

图书在版编目(CIP)数据

深化合作伙伴关系 共建亚洲美好家园:在新加坡国立大学的演讲/
习近平 著. —北京:人民出版社,2015.11
ISBN 978-7-01-015508-1

Ⅰ.①深… Ⅱ.①习… Ⅲ.①习近平-讲话②中外关系-新加坡
Ⅳ.①D2-0 ②D822.333.9

中国版本图书馆CIP数据核字(2015)第264880号

(RMC-ZJDXI-028-20151107)

深化合作伙伴关系 共建亚洲美好家园

SHENHUA HEZUO HUOBAN GUANXI GONGJIAN YAZHOU MEIHAO JIAYUAN

——在新加坡国立大学的演讲

(2015年11月7日)

习 近 平

人民出版社 出版发行
(100706 北京市东城区隆福寺街99号)

北京新华印刷有限公司印刷 新华书店经销

2015年11月第1版 2015年11月北京第1次印刷
开本:880毫米×1230毫米 1/32 印张:0.5
字数:8千字

ISBN 978-7-01-015508-1 定价:2.00元

邮购地址 100706 北京市东城区隆福寺街99号
人民东方图书销售中心 电话 (010)65250042 65289539